MENSAGEM

FERNANDO PESSOA

MENSAGEM

edição
FERNANDO CABRAL MARTINS

ASSÍRIO & ALVIM

Mensagem
Fernando Pessoa

Publicado em Portugal por
Assírio & Alvim

© Fernando Cabral Martins
© Porto Editora, 2012

1.ª edição: 1997
9.ª edição: Outubro de 2012

Assírio & Alvim é uma chancela da
Porto Editora, Lda.

Distribuição **Porto Editora, Lda.**

Rua da Restauração, 365
4099-023 Porto | Portugal

www.**portoeditora**.pt

Execução gráfica **Bloco Gráfico, Lda.**
Unidade Industrial da Maia.

DEP. LEGAL 349564/12
ISBN 978-972-37-0436-5

BENEDICTUS DOMINUS DEUS
NOSTER QUI DEDIT NOBIS
SIGNUM

PRIMEIRA PARTE

BRASÃO

BELLUM SINE BELLO.

I.

OS CAMPOS

O DOS CASTELOS

A Europa jaz, posta nos cotovelos:
De Oriente a Ocidente jaz, fitando,
E toldam-lhe românticos cabelos
Olhos gregos, lembrando.

O cotovelo esquerdo é recuado;
O direito é em ângulo disposto.
Aquele diz Itália onde é pousado;
Este diz Inglaterra onde, afastado,
A mão sustenta, em que se apoia o rosto.

Fita, com olhar sfíngico e fatal,
O Ocidente, futuro do passado.

O rosto com que fita é Portugal.

O DAS QUINAS

Os Deuses vendem quando dão.
Compra-se a glória com desgraça.
Ai dos felizes, porque são
Só o que passa!

Baste a quem basta o que lhe basta
O bastante de lhe bastar!
A vida é breve, a alma é vasta:
Ter é tardar.

Foi com desgraça e com vileza
Que Deus ao Cristo definiu:
Assim o opôs à Natureza
E Filho o ungiu.

II.

OS CASTELOS

ULISSES

O mito é o nada que é tudo.
O mesmo sol que abre os céus
É um mito brilhante e mudo —
O corpo morto de Deus,
Vivo e desnudo.

Este, que aqui aportou,
Foi por não ser existindo.
Sem existir nos bastou.
Por não ter vindo foi vindo
E nos criou.

Assim a lenda se escorre
A entrar na realidade,
E a fecundá-la decorre.
Em baixo, a vida, metade
De nada, morre.

VIRIATO

Se a alma que sente e faz conhece
Só porque lembra o que esqueceu,
Vivemos, raça, porque houvesse
Memória em nós do instinto teu.

Nação porque reincarnaste,
Povo porque ressuscitou
Ou tu, ou o de que eras a haste —
Assim se Portugal formou.

Teu ser é como aquela fria
Luz que precede a madrugada,
E é já o ir a haver o dia
Na antemanhã, confuso nada.

O CONDE D. HENRIQUE

Todo começo é involuntário.
Deus é o agente.
O herói a si assiste, vário
E inconsciente.

À espada em tuas mãos achada
Teu olhar desce.
«Que farei eu com esta espada?»

Ergueste-a, e fez-se.

D. TAREJA

As nações todas são mistérios.
Cada uma é todo o mundo a sós.
Ó mãe de reis e avó de impérios,
Vela por nós!

Teu seio augusto amamentou
Com bruta e natural certeza
O que, imprevisto, Deus fadou.
Por ele reza!

Dê tua prece outro destino
A quem fadou o instinto teu!
O homem que foi o teu menino
Envelheceu.

Mas todo vivo é eterno infante
Onde estás e não há o dia.
No antigo seio, vigilante,
De novo o cria!

D. AFONSO HENRIQUES

Pai, foste cavaleiro.
Hoje a vigília é nossa.
Dá-nos o exemplo inteiro
E a tua inteira força!

Dá, contra a hora em que, errada,
Novos infiéis vençam,
A benção como espada,
A espada como benção!

D. DINIS

Na noite escreve um seu Cantar de Amigo
O plantador de naus a haver,
E ouve um silêncio múrmuro consigo:
É o rumor dos pinhais que, como um trigo
De Império, ondulam sem se poder ver.

Arroio, esse cantar, jovem e puro,
Busca o oceano por achar;
E a fala dos pinhais, marulho obscuro,
É o som presente desse mar futuro,
É a voz da terra ansiando pelo mar.

D. JOÃO O PRIMEIRO

O homem e a hora são um só
Quando Deus faz e a história é feita.
O mais é carne, cujo pó
A terra espreita.

Mestre, sem o saber, do Templo
Que Portugal foi feito ser,
Que houveste a glória e deste o exemplo
De o defender,

Teu nome, eleito em sua fama,
É, na ara da nossa alma interna,
A que repele, eterna chama,
A sombra eterna.

D. FILIPA DE LENCASTRE

Que enigma havia em teu seio
Que só génios concebia?
Que arcanjo teus sonhos veio
Velar, maternos, um dia?

Volve a nós teu rosto sério,
Princesa do Santo Gral,
Humano ventre do Império,
Madrinha de Portugal!

III.

AS QUINAS

D. DUARTE, REI DE PORTUGAL

Meu dever fez-me, como Deus ao mundo.
A regra de ser Rei almou meu ser,
Em dia e letra escrupuloso e fundo.

Firme em minha tristeza, tal vivi.
Cumpri contra o Destino o meu dever.
Inutilmente? Não, porque o cumpri.

D. FERNANDO, INFANTE DE PORTUGAL

Deu-me Deus o seu gládio, por que eu faça
A sua santa guerra.
Sagrou-me seu em honra e em desgraça,
Às horas em que um frio vento passa
Por sobre a fria terra.

Pôs-me as mãos sobre os ombros e doirou-me
A fronte com o olhar;
E esta febre de Além, que me consome,
E este querer grandeza são seu nome
Dentro em mim a vibrar.

E eu vou, e a luz do gládio erguido dá
Em minha face calma.
Cheio de Deus, não temo o que virá,
Pois, venha o que vier, nunca será
Maior do que a minha alma.

D. PEDRO, REGENTE DE PORTUGAL

Claro em pensar, e claro no sentir,
E claro no querer;
Indiferente ao que há em conseguir
Que seja só obter;
Dúplice dono, sem me dividir,
De dever e de ser —

Não me podia a Sorte dar guarida
Por eu não ser dos seus.
Assim vivi, assim morri, a vida,
Calmo sob mudos céus,
Fiel à palavra dada e à ideia tida.
Tudo mais é com Deus!

D. JOÃO, INFANTE DE PORTUGAL

Não fui alguém. Minha alma estava estreita
Entre tão grandes almas minhas pares,
Inutilmente eleita,
Virgemmente parada;

Porque é do português, pai de amplos mares,
Querer, poder só isto:
O inteiro mar, ou a orla vã desfeita —
O todo, ou o seu nada.

D. SEBASTIÃO, REI DE PORTUGAL

Louco, sim, louco, porque quis grandeza
Qual a Sorte a não dá.
Não coube em mim minha certeza;
Por isso onde o areal está
Ficou meu ser que houve, não o que há.

Minha loucura, outros que me a tomem
Com o que nela ia.
Sem a loucura que é o homem
Mais que a besta sadia,
Cadáver adiado que procria?

IV.

A COROA

NUNÁLVARES PEREIRA

Que auréola te cerca?
É a espada que, volteando,
Faz que o ar alto perca
Seu azul negro e brando.

Mas que espada é que, erguida,
Faz esse halo no céu?
É Excalibur, a ungida,
Que o Rei Artur te deu.

Sperança consumada,
S. Portugal em ser,
Ergue a luz da tua espada
Para a estrada se ver!

V.

O TIMBRE

O INFANTE D. HENRIQUE

Em seu trono entre o brilho das esferas,
Com seu manto de noite e solidão,
Tem aos pés o mar novo e as mortas eras —
O único imperador que tem, deveras,
O globo mundo em sua mão.

D. JOÃO O SEGUNDO

Braços cruzados, fita além do mar.
Parece em promontório uma alta serra —
O limite da terra a dominar
O mar que possa haver além da terra.

Seu formidável vulto solitário
Enche de estar presente o mar e o céu,
E parece temer o mundo vário
Que ele abra os braços e lhe rasgue o véu.

AFONSO DE ALBUQUERQUE

De pé, sobre os países conquistados
Desce os olhos cansados
De ver o mundo e a injustiça e a sorte.
Não pensa em vida ou morte,
Tão poderoso que não quer o quanto
Pode, que o querer tanto
Calcara mais do que o submisso mundo
Sob o seu passo fundo.
Três impérios do chão lhe a Sorte apanha.
Criou-os como quem desdenha.

SEGUNDA PARTE

MAR PORTUGUÊS

POSSESSIO MARIS.

I.

O INFANTE

Deus quer, o homem sonha, a obra nasce.
Deus quis que a terra fosse toda uma,
Que o mar unisse, já não separasse.
Sagrou-te, e foste desvendando a espuma,

E a orla branca foi de ilha em continente,
Clareou, correndo, até ao fim do mundo,
E viu-se a terra inteira, de repente,
Surgir, redonda, do azul profundo.

Quem te sagrou criou-te português.
Do mar e nós em ti nos deu sinal.
Cumpriu-se o Mar, e o Império se desfez.
Senhor, falta cumprir-se Portugal!

HORIZONTE

Ó mar anterior a nós, teus medos
Tinham coral e praias e arvoredos.
Desvendadas a noite e a cerração,
As tormentas passadas e o mistério,
Abria em flor o Longe, e o Sul sidério
Splendia sobre as naus da iniciação.

Linha severa da longínqua costa —
Quando a nau se aproxima ergue-se a encosta
Em árvores onde o Longe nada tinha;
Mais perto, abre-se a terra em sons e cores;
E, no desembarcar, há aves, flores,
Onde era só, de longe a abstracta linha.

O sonho é ver as formas invisíveis
Da distância imprecisa, e, com sensíveis
Movimentos da esprança e da vontade,
Buscar na linha fria do horizonte
A árvore, a praia, a flor, a ave, a fonte —
Os beijos merecidos da Verdade.

III.

PADRÃO

O esforço é grande e o homem é pequeno.
Eu, Diogo Cão, navegador, deixei
Este padrão ao pé do areal moreno
E para diante naveguei.

A alma é divina e a obra é imperfeita.
Este padrão sinala ao vento e aos céus
Que, da obra ousada, é minha a parte feita:
O por-fazer é só com Deus.

E ao imenso e possível oceano
Ensinam estas Quinas, que aqui vês,
Que o mar com fim será grego ou romano:
O mar sem fim é português.

E a Cruz ao alto diz que o que me há na alma
E faz a febre em mim de navegar
Só encontrará de Deus na eterna calma
O porto sempre por achar.

IV.

O MOSTRENGO

O mostrengo que está no fim do mar
Na noite de breu ergueu-se a voar;
À roda da nau voou três vezes,
Voou três vezes a chiar,
E disse, «Quem é que ousou entrar
Nas minhas cavernas que não desvendo,
Meus tectos negros do fim do mundo?»
E o homem do leme disse, tremendo,
«El-Rei D. João Segundo!»

«De quem são as velas onde me roço?
De quem as quilhas que vejo e ouço?»
Disse o mostrengo, e rodou três vezes,
Três vezes rodou imundo e grosso,
«Quem vem poder o que só eu posso,
Que moro onde nunca ninguém me visse
E escorro os medos do mar sem fundo?»
E o homem do leme tremeu, e disse,
«El-Rei D. João Segundo!»

Três vezes do leme as mãos ergueu,

Três vezes ao leme as reprendeu,

E disse no fim de temer três vezes,

«Aqui ao leme sou mais do que eu:

Sou um Povo que quer o mar que é teu;

E mais que o mostrengo, que me a alma teme

E roda nas trevas do fim do mundo,

Manda a vontade, que me ata ao leme,

De El-Rei D. João Segundo!»

V.

EPITÁFIO DE BARTOLOMEU DIAS

Jaz aqui, na pequena praia extrema,
O Capitão do Fim. Dobrado o Assombro,
O mar é o mesmo: já ninguém o tema!
Atlas, mostra alto o mundo no seu ombro.

VI.

OS COLOMBOS

Outros haverão de ter
O que houvermos de perder.
Outros poderão achar
O que, no nosso encontrar,
Foi achado, ou não achado,
Segundo o destino dado.

Mas o que a eles não toca
É a Magia que evoca
O Longe e faz dele história.
E por isso a sua glória
É justa auréola dada
Por uma luz emprestada.

VII.

OCIDENTE

Com duas mãos — o Acto e o Destino —
Desvendámos. No mesmo gesto, ao céu
Uma ergue o facho trémulo e divino
E a outra afasta o véu.

Fosse a hora que haver ou a que havia
A mão que ao Ocidente o véu rasgou,
Foi alma a Ciência e corpo a Ousadia
Da mão que desvendou.

Fosse Acaso, ou Vontade, ou Temporal
A mão que ergueu o facho que luziu,
Foi Deus a alma e o corpo Portugal
Da mão que o conduziu.

VIII.

FERNÃO DE MAGALHÃES

No vale clareia uma fogueira.
Uma dança sacode a terra inteira.
E sombras disformes e descompostas
Em clarões negros do vale vão
Subitamente pelas encostas,
Indo perder-se na escuridão.

De quem é a dança que a noite aterra?
São os Titãs, os filhos da Terra,
Que dançam da morte do marinheiro
Que quis cingir o materno vulto —
Cingi-lo, dos homens, o primeiro —,
Na praia ao longe por fim sepulto.

Dançam, nem sabem que a alma ousada
Do morto ainda comanda a armada,
Pulso sem corpo ao leme a guiar
As naus no resto do fim do espaço:

Que até ausente soube cercar
A terra inteira com seu abraço.

Violou a Terra. Mas eles não
O sabem, e dançam na solidão;
E sombras disformes e descompostas,
Indo perder-se nos horizontes,
Galgam do vale pelas encostas
Dos mudos montes.

IX.

ASCENSÃO DE VASCO DA GAMA

Os Deuses da tormenta e os gigantes da terra
Suspendem de repente o ódio da sua guerra
E pasmam. Pelo vale onde se ascende aos céus
Surge um silêncio, e vai, da névoa ondeando os véus,
Primeiro um movimento e depois um assombro.
Ladeiam-o, ao durar, os medos, ombro a ombro,
E ao longe o rastro ruge em nuvens e clarões.

Em baixo, onde a terra é, o pastor gela, e a flauta
Cai-lhe, e em extase vê, à luz de mil trovões,
O céu abrir o abismo à alma do Argonauta.

X.

MAR PORTUGUÊS

Ó mar salgado, quanto do teu sal
São lágrimas de Portugal!
Por te cruzarmos, quantas mães choraram,
Quantos filhos em vão rezaram!
Quantas noivas ficaram por casar
Para que fosses nosso, ó mar!

Valeu a pena? Tudo vale a pena
Se a alma não é pequena.
Quem quer passar além do Bojador
Tem que passar além da dor.
Deus ao mar o perigo e o abismo deu,
Mas nele é que espelhou o céu.

XI

A ÚLTIMA NAU

Levando a bordo El-Rei D. Sebastião,
E erguendo, como um nome, alto o pendão
Do Império,
Foi-se a última nau, ao sol aziago
Erma, e entre choros de ânsia e de pressago
Mistério.

Não voltou mais. A que ilha indescoberta
Aportou? Voltará da sorte incerta
Que teve?
Deus guarda o corpo e a forma do futuro,
Mas Sua luz projecta-o, sonho escuro
E breve.

Ah, quanto mais ao povo a alma falta,
Mais a minha alma atlântica se exalta
E entorna,
E em mim, num mar que não tem tempo ou spaço,

Vejo entre a cerração teu vulto baço
Que torna.

Não sei a hora, mas sei que há a hora,
Demore-a Deus, chame-lhe a alma embora
Mistério.
Surges ao sol em mim, e a névoa finda:
A mesma, e trazes o pendão ainda
Do Império.

XII.

PRECE

Senhor, a noite veio e a alma é vil.
Tanta foi a tormenta e a vontade!
Restam-nos hoje, no silêncio hostil,
O mar universal e a saudade.

Mas a chama, que a vida em nós criou,
Se ainda há vida ainda não é finda.
O frio morto em cinzas a ocultou:
A mão do vento pode erguê-la ainda.

Dá o sopro, a aragem — ou desgraça ou ânsia —,
Com que a chama do esforço se remoça,
E outra vez conquistemos a Distância —
Do mar ou outra, mas que seja nossa!

TERCEIRA PARTE

O ENCOBERTO

PAX IN EXCELSIS.

I.

OS SÍMBOLOS

D. SEBASTIÃO

Sperai! Caí no areal e na hora adversa
Que Deus concede aos seus
Para o intervalo em que esteja a alma imersa
Em sonhos que são Deus.

Que importa o areal e a morte e a desventura
Se com Deus me guardei?
É O que eu me sonhei que eterno dura,
É Esse que regressarei.

O QUINTO IMPÉRIO

Triste de quem vive em casa,
Contente com o seu lar,
Sem que um sonho, no erguer de asa,
Faça até mais rubra a brasa
Da lareira a abandonar!

Triste de quem é feliz!
Vive porque a vida dura.
Nada na alma lhe diz
Mais que a lição da raiz —
Ter por vida a sepultura.

Eras sobre eras se somem
No tempo que em eras vem.
Ser descontente é ser homem.
Que as forças cegas se domem
Pela visão que a alma tem!

E assim, passados os quatro
Tempos do ser que sonhou,
A terra será teatro
Do dia claro, que no atro
Da erma noite começou.

Grécia, Roma, Cristandade,
Europa — os quatro se vão
Para onde vai toda idade.
Quem vem viver a verdade
Que morreu D. Sebastião?

O DESEJADO

Onde quer que, entre sombras e dizeres,
Jazas, remoto, sente-te sonhado,
E ergue-te do fundo de não-seres
Para teu novo fado!

Vem, Galaaz com pátria, erguer de novo,
Mas já no auge da suprema prova,
A alma penitente do teu povo
À Eucaristia Nova.

Mestre da Paz, ergue teu gládio ungido,
Excalibur do Fim, em jeito tal
Que sua Luz ao mundo dividido
Revele o Santo Gral!

AS ILHAS AFORTUNADAS

Que voz vem no som das ondas
Que não é a voz do mar?
É a voz de alguém que nos fala,
Mas que, se escutamos, cala,
Por ter havido escutar.

E só se, meio dormindo,
Sem saber de ouvir ouvimos,
Que ela nos diz a esperança
A que, como uma criança
Dormente, a dormir sorrimos.

São ilhas afortunadas,
São terras sem ter lugar,
Onde o Rei mora esperando.
Mas, se vamos despertando,
Cala a voz, e há só o mar.

O ENCOBERTO

Que símbolo fecundo
Vem na aurora ansiosa?
Na Cruz morta do Mundo
A Vida, que é a Rosa.

Que símbolo divino
Traz o dia já visto?
Na Cruz, que é o Destino,
A Rosa, que é o Cristo.

Que símbolo final
Mostra o sol já desperto?
Na Cruz morta e fatal
A Rosa do Encoberto.

II.

OS AVISOS

O BANDARRA

Sonhava, anónimo e disperso,
O Império por Deus mesmo visto,
Confuso como o Universo
E plebeu como Jesus Cristo.

Não foi nem santo nem herói,
Mas Deus sagrou com Seu sinal
Este, cujo coração foi
Não português mas Portugal.

ANTÓNIO VIEIRA

O céu strela o azul e tem grandeza.
Este, que teve a fama e à glória tem,
Imperador da língua portuguesa,
Foi-nos um céu também.

No imenso espaço seu de meditar,
Constelado de forma e de visão,
Surge, prenúncio claro do luar,
El-Rei D. Sebastião.

Mas não, não é luar: é luz do etéreo.
É um dia; e, no céu amplo de desejo,
A madrugada irreal do Quinto Império
Doira as margens do Tejo.

Screvo meu livro à beira-mágoa.
Meu coração não tem que ter.
Tenho meus olhos quentes de água.
Só tu, Senhor, me dás viver.

Só te sentir e te pensar
Meus dias vácuos enche e doura.
Mas quando quererás voltar?
Quando é o Rei? Quando é a Hora?

Quando virás a ser o Cristo
De a quem morreu o falso Deus,
E a despertar do mal que existo
A Nova Terra e os Novos Céus?

Quando virás, ó Encoberto,
Sonho das eras português,
Tornar-me mais que o sopro incerto
De um grande anseio que Deus fez?

Ah, quando quererás, voltando,
Fazer minha esperança amor?
Da névoa e da saudade quando?
Quando, meu Sonho e meu Senhor?

III.

OS TEMPOS

NOITE

A nau de um deles tinha-se perdido
No mar indefinido.
O segundo pediu licença ao Rei
De, na fé e na lei
Da descoberta ir em procura
Do irmão no mar sem fim e a névoa escura.

Tempo foi. Nem primeiro nem segundo
Volveu do fim profundo
Do mar ignoto à pátria por quem dera
O enigma que fizera.
Então o terceiro a El-Rei rogou
Licença de os buscar, e El-Rei negou.

*

Como a um captivo, o ouvem a passar
Os servos do solar.

E, quando o vêem, vêem a figura
Da febre e da amargura,
Com fixos olhos rasos de ânsia
Fitando a proibida azul distância.

*

Senhor, os dois irmãos do nosso Nome —
O Poder e o Renome —
Ambos se foram pelo mar da idade
À tua eternidade;
E com eles de nós se foi
O que faz a alma poder ser de herói.

Queremos ir buscá-los, desta vil
Nossa prisão servil:
É a busca de quem somos, na distância
De nós; e, em febre de ânsia,
A Deus as mãos alçamos.

Mas Deus não dá licença que partamos.

TORMENTA

Que jaz no abismo sob o mar que se ergue?
Nós, Portugal, o poder ser.
Que inquietação do fundo nos soergue?
O desejar poder querer.

Isto, e o mistério de que a noite é o fausto…
Mas súbito, onde o vento ruge,
O relâmpago, farol de Deus, um hausto
Brilha, e o mar scuro struge.

CALMA

Que costa é que as ondas contam
E se não pode encontrar
Por mais naus que haja no mar?
O que é que as ondas encontram
E nunca se vê surgindo?
Este som de o mar praiar
Onde é que está existindo?

Ilha próxima e remota,
Que nos ouvidos persiste,
Para a vista não existe.
Que nau, que armada, que frota
Pode encontrar o caminho
À praia onde o mar insiste,
Se à vista o mar é sozinho?

Haverá rasgões no espaço
Que dêem para outro lado,

E que, um deles encontrado,
Aqui, onde há só sargaço,
Surja uma ilha velada,
O país afortunado
Que guarda o Rei desterrado
Em sua vida encantada?

QUARTO

ANTEMANHÃ

O mostrengo que está no fim do mar
Veio das trevas a procurar
A madrugada do novo dia,
Do novo dia sem acabar;
E disse, «Quem é que dorme a lembrar
Que desvendou o Segundo Mundo,
Nem o Terceiro quer desvendar?»

E o som na treva de ele a rodar
faz mau o sono, triste o sonhar.
Rodou e foi-se o mostrengo servo
Que seu senhor veio aqui buscar.
Que veio aqui seu senhor chamar —
Chamar Aquele que está dormindo
E foi outrora Senhor do Mar.

QUINTO

NEVOEIRO

Nem rei nem lei, nem paz nem guerra,
Define com perfil e ser
Este fulgor baço da terra
Que é Portugal a entristecer —
Brilho sem luz e sem arder,
Como o que o fogo-fátuo encerra.

Ninguém sabe que coisa quer.
Ninguém conhece que alma tem,
Nem o que é mal nem o que é bem.
(Que ânsia distante perto chora?)
Tudo é incerto e derradeiro.
Tudo é disperso, nada é inteiro.
Ó Portugal, hoje és nevoeiro...

É a Hora!

Valete, Fratres.

91

NOTAS

CRITÉRIOS DE EDIÇÃO

A lição do texto que sigo é a de um exemplar, corrigido pela mão de Pessoa, da primeira edição da *Mensagem*, e que se encontra à guarda da Casa Pessoa. Outras edições de referência são a de David Mourão-Ferreira, que é a 6.ª da Ática, publicada em 1959, e a edição crítica coordenada por José Augusto Seabra, *Mensagem. Poemas Esotéricos*, Madrid, Colecção Archivos, CSIC, 1993.

A edição de David Mourão-Ferreira é a primeira a propor a actualização ortográfica de um livro que parecia apostar na inactualidade. Isto é: a ortografia utilizada por Pessoa em 1934 era arcaica em relação à convenção dominante nesse tempo, o que poderia ser recebido, como por vezes o é, como uma ortografia simbólica e intocável. Mas o argumento de David Mourão-Ferreira, o da aproximação do texto em relação ao seu leitor de hoje, não é contrariado por essa ideia. De facto, o efeito arcaizante que a ortografia escolhida por Pessoa obteve no contexto preciso do seu tempo é um efeito irrepetível — uma vez que a convenção ortográfica mudou entretanto, e o que era feito de arcaísmo se tornou simplesmente estranho. Quer dizer: a vontade de comunicação que tornou *Mensagem* o único livro em português publicado por Pessoa só pode ser hoje servida por uma escolha de legibilidade.

93

Apostas por Pessoa, à mão, no seu exemplar da 1.ª edição da *Mensagem*, vêm as seguintes datas:

O dos Castelos, 8-12-1928;

O das Quinas, 8-12-1928;

Viriato, 22-1-1934;

D. Tareja, 24-9-1928;

D. Dinis, 9-2-1934;

D. João o Primeiro, 12-2-1934;

D. Filipa de Lencastre, 26-9-1928;

D. Duarte, Rei de Portugal, 26-9-1928;

D. Fernando, Infante de Portugal, 21-7-1913;

D. Pedro, Regente de Portugal, 15-2-1934;

D. João, Infante de Portugal, 28-3-1930;

D. Sebastião, Rei de Portugal, 20-2-1933;

Nunálvares Pereira, 8-12-1928;

O Infante D. Henrique, 26-9-1928;

D. João o Segundo, 26-9-1928;

Afonso de Albuquerque, 26-9-1928;

Padrão, 13-9-1918;

O Mostrengo, 9-9-1918;

Os Colombos, 2-4-1934;

Ascensão de Vasco da Gama, 10-1-1922;

Prece, 31-12-1921/1-1-1922;

O Quinto Império, 21-2-1933;

O Desejado, 18-1-1934;

As Ilhas Afortunadas, 26-3-1934;

O Encoberto, 21-2-1933/11-2-1934;

O Bandarra, 28-3-1930;

António Vieira, 31-7-1929;

«Escrevo o meu livro à beira-mágoa», 10-12-1928;

Tormenta, 26-2-1934;
Calma, 15-2-1934;
Antemanhã, 8-7-1933;
Nevoeiro, 10-12-1928.

Ao contrário do que faz a edição crítica de José Augusto Seabra, não se incluem estas datas no texto dos poemas, ao qual não pertencem. As anotações de Pessoa estão no livro por qualquer outra razão que não a da revisão ou do retoque poéticos. Facto tornado evidente pelo último poema, *Nevoeiro*, em que a edição crítica introduz a data entre o último verso do poema e aquela espécie de contra--epígrafe que surge em coda do livro, «*Valete, Fratres*», alterando todo o equilíbrio do conjunto textual assim formado. De resto, a aposição das datas por Pessoa não é sistemática, o que é desde logo rejeitado por um livro de tal forma estruturado que se dá como um único poema, e não uma soma de poemas.

Génese do Livro

Data de 1910 um primeiro poema cujo título, *Portugal*, e cujas características, épicas e sebastianistas, prefiguram a *Mensagem* por vir (Teresa Rita Lopes publica um fac-símile da última página desse poema em *Fernando Pessoa et le Drame Symboliste*, Paris, FCG, 1977: 42). Em 1913, Pessoa escreve *Gládio*, poema que há-de fazer parte de *Mensagem* com o título *D. Fernando, Infante de Portugal*. Mais ainda, e como o mostra um projecto de publicação por João Gaspar Simões incluído no seu *Vida e Obra de Fernando Pessoa* (3.ª ed., Lisboa, Bertrand, 1973: 632), Pessoa pensa por essa altura num livro intitulado *Gládio*, cuja primeira parte se chamaria *Portugal*.

A ideia de *Mensagem* está presente na escrita de Pessoa desde muito cedo, pois. E tem a ver com as suas declarações de patriotismo muitas vezes repetidas. Mas os próprios poemas de *Mensagem* vão sendo publicados. *Gládio*, por exemplo, virá a sair na *Athena*, em 1924. A parte do meio do futuro livro, *Mar Português*, tem publicação destacada no n.º 4 de *Contemporânea*, em 1922, e depois no jornal *Revolução*, em 16 de Junho de 1933. Pelo tempo de impressão do livro, em 1934, ainda saem em *O Mundo Português* 7/8 os três poemas de *Timbre*, aí intitulados *Tríptico*.

Pelo seu lado, Jorge Nemésio (*A Obra Poética de Fernando Pessoa*, Salvador, Bahia, Liv. Progresso, 1958) revela esboços, um sob o nome *Portugal*, o outro *Legendas*, em que Pessoa tematiza o mesmo entusiasmo patriótico dos primeiros anos de regressado a Lisboa (em 1905). Jorge Nemésio data os citados esboços de 1920, o que os faz coincidir com a época de escrita de *Mar Português*, mas, sobretudo, com a escrita das quadras bandarristas à memória de Sidónio Pais e, em geral, com a sua actividade no Núcleo de Acção Nacional, em que milita por esse tempo, numa consequência da euforia sebastianista que nele acordara o breve consulado do «Presidente-Rei».

O título vai ser o último elemento a acertar. Desde 1910 que *Portugal* existia, e é só no original entregue na tipografia em 1934 que esse título é substituído por *Mensagem* (como mostra José Augusto Seabra, «Do Original às Primeiras Páginas Impressas da Mensagem», *Nova Renascença* 30/31, 1988). E, num fragmento de *Sobre Portugal* (Lisboa, Ática, 1978), Pessoa escreve: «o curioso é que o título *Mensagem* está mais certo [...] do que o título primitivo». Desde logo, pela relação que estabelece com a epígrafe em latim, que traduzo: «Bendito seja Deus Nosso Senhor por nos ter dado o sinal» (ou «o signo»). Em vez da pura afirmação patriótica e nacionalista, descobrimos a consciência do poder da palavra.

BRASÃO

A epígrafe «bellum sine bello» significa «guerra sem guerra», um oxímoro a acrescentar ao mais perfeito oxímoro de todos, «O mito é o nada que é tudo» (*Ulisses*), mas também a «Os deuses vendem quando dão» (*O dos Castelos*), por exemplo. A epígrafe não é só um sentido enigmático proposto, mas também uma matriz retórica.

I — Os Campos

O dos Castelos

Transcrevo parte de um documento do espólio de Pessoa (E3) à guarda da Biblioteca Nacional (cota 142 - 69):

«Pouco há que dizer, como explicação antecipada destes poemas em que se resume a história passada, e a promessa da história futura, de Portugal. O pouco que se dirá é o de que porventura se sentiria a falta para o entendimento de alguns poemas, que em si mesmos, para alguns leitores, não conterão a própria explicação.

«Logo no primeiro poema se fala de três nações, como se na Europa não houvesse outras. É que a civilização europeia é a criação dessas três, e só delas, não sendo as outras mais que distribuidoras dessa civilização fundamental e criadoras de elementos secundários dela. Foi a civilização moderna criada pela concentração e europeização da alma antiga, e isso foi obra da Itália; pela abertura de todas as portas do mundo, e o descobrimento dele, e isso foi obra de Portugal; e pela restituição da ideia de Grande Império, e isso foi obra de Inglaterra. Tudo mais é de segunda ordem.

«Notar-se-á que se considera a História de Portugal como fechada nas duas primeiras dinastias, dando-se como não existente a dos Filipes, a dos Braganças e a República. Assim é. Estes três tempos são o nosso sono; não são a nossa história, senão que representam a ausência dela».

Na edição de David Mourão-Ferreira, aparece «olhar esfíngico» no 10.º verso, o que reconstrói a palavra «sphyngico» que está no original. Tal elisão do «e» inicial, no entanto, não se prende com qualquer deliberação ortográfica, mas só poética e rítmica, pelo que aqui é mantida.

O das Quinas

No exemplar corrigido por Pessoa, o primeiro verso, por traço a cortar as palavras «Vendem os Deuses o que», é modificado para «Os Deuses vendem quando», escrito por cima. No volume *A Língua Portuguesa*, pode ler-se «"What the Gods give they sell", the Greeks rightly said» (ed. Luísa Medeiros, Lisboa, Assírio & Alvim, 1997: 89), o que parece implicar que este verso tenha sido corrigido para se acertar melhor com a citação nele implícita.

No segundo verso, Pessoa corta «A glória» num verso que era «A glória compra-se com desgraça»; maiúscula a letra inicial de «compra-se» e insere «glória com».

Estas duas modificações são recebidas por todas as edições a partir da 2.ª. Já no primeiro verso da segunda quadra Pessoa coloca um «e» sobre o «a» final do último «basta». Todas as edições recolhem essa aposição como se fosse uma modificação. No entanto, há uma diferença no tratamento dado por Pessoa a estes dois tipos de notação correctiva: a que é acompanhada por um traço que corta a versão anterior; e a que apenas coloca uma outra hipótese de resolução da frase, sem que chegue a optar por ela em definitivo. Assim, no respeito pela pertinência poética desse «traço distintivo», não me parece de corrigir no verso original «basta» para «baste», pois o próprio Pessoa não efectiva essa correcção.

III — As Quinas

D. Duarte, Rei de Portugal
A edição de David Mourão-Ferreira não coloca a vírgula a seguir a D. Duarte, no título — nem a seguir aos outros quatro nomes nos títulos incluídos em As Quinas.

D. Fernando, Infante de Portugal
Este poema, datado de 1913, já tinha sido publicado por Pessoa. De uma primeira vez não chegou a romper da tipografia para o público: ficou em provas finais destinadas ao Orpheu 3, em 1917, onde figurava a abrir um conjunto intitulado Gládio e Além-Deus (cf. ed. fac-similada de Orpheu, Lisboa, Contexto, 1989). À segunda tentativa já saiu publicado, no n.º 4 de Athena, em 1924. E, o que é mais, a versão que surge na Mensagem é quase igual às duas versões de Orpheu 3 e de Athena 4, com a simples variação no uso (aqui mais comedido) das maiúsculas, e a diferença maior da mudança de título.

O primeiro verso saiu na 1.ª edição, lição que é recebida na edição crítica de José Augusto Seabra, assim: «Deu-me Deus o seu gládio, porque eu faça». Segundo a mesma edição crítica, este «porque» teria uma «função de conjunção final» (28). O facto é que só pode ter essa função se tiver a forma disjunta «por que». Isto mesmo leu David Mourão-Ferreira, que escreve o verso desse modo — aqui seguido. No espólio, há um dactiloscrito (121-2) em que o verso tem esta mesma forma.

D. Pedro, Regente de Portugal

No exemplar da 1.ª edição corrigido por Pessoa, o verso 8.º tem uma das suas partes, «eu não ser», entre dois traços, e à margem, também entre dois traços, a variante manuscrita «não ser eu». E tem sido esta última variante a recebida por todas as edições. Mas, à imagem da consideração crítica feita para o segundo poema de Os Campos, O das Quinas, não pode ser tratada do mesmo modo uma correcção (que, como tal, elimina claramente o corrigido) e uma redacção variante opcional (não marcada como devendo substituir o que lá está). Esta é uma situação textual próxima de uma outra bem conhecida dos editores de Pessoa, e que é a presença de um sinal, à margem do texto, que quer dizer que o autor tem dúvidas sobre algum aspecto da sua redacção, sem, no entanto, apresentar alternativas para ela.

D. Sebastião, Rei de Portugal

No 8.º verso, Pessoa cortou, no seu exemplar da 1.ª edição, o artigo «o», que aparecia antes de «que é o homem».

IV — A Coroa

O título do único poema aqui incluído é transcrito sem modificação pela edição crítica, mas sofre na edição de David Mourão-Ferreira uma alteração de «Nunalvares» para «Nun'Álvares» o que parece consistir apenas numa actualização ortográfica. No entanto, a grafia do nome tem uma dupla tradição, que remonta às primeiras edições impressas da Crónica do Condestável, no século XVI: ou com os dois nomes separados (por exemplo, «Nuno Alvarez») ou juntos (por exemplo, «Nunalvrez»). Em Herculano, o nome é escrito também dos dois modos, «Nunalvares» e «Nuno Alvares», nas primeiras edições de

Lendas e Narrativas e de *O Monge de Cister*, por exemplo. Talvez tenha sido em Herculano que Pessoa leu esta possibilidade de grafia do nome — que torna a utilização do apóstrofo inútil.

Na mesma edição de David Mourão-Ferreira, aparece colocado um outro apóstrofo a indicar a elisão da vogal inicial em «sperança», no 9.º verso. Aliás, o mesmo procedimento se irá repetir em quase todos os casos de elisão da vogal inicial. Aqui, não acrescento nunca esse apóstrofo.

MAR PORTUGUÊS

A epígrafe «possessio maris» significa «a posse do mar», o que é uma espécie de tradução do título geral da segunda parte do livro.

Da prévia publicação, por duas vezes, como atrás se indicou, deste conjunto até à sua inclusão em *Mensagem* não se contam variações importantes, a não ser uma: a substituição de um poema inteiro, de nome *Ironia*, por *Os Colombos*, aliás com o mesmo tema.

Horizonte
A palavra «esprança» surge assim grafada por elisão rítmica do «e».

O Mostrengo
A diferença maior da primeira publicação deste poema, integrado em *Mar Português*, em *Contemporânea* 4, é o nome aí em título: *O Morcego*.

Os Colombos
No exemplar pela sua mão corrigido, Pessoa cortou, no 11.º verso «É uma justa auréola dada», o artigo «uma», acertando-o assim metricamente.

Transcrevo *Ironia*, o poema VI da série, da *Contemporânea* 4:

> Faz um a casa onde o outro poz a pedra.
> O gallego Colón, de Pontevedra,
> Seguiu-nos para onde nós não fomos.
> Não vimos da nossa árvore esses pomos.

Um imperio ganhou para Castella,
Para si gloria merecida — aquella
De um grande longe aos mares conquistado.
Mas não ganhou o tel-o começado.

Ocidente
Na versão da *Contemporânea* 4, repetida em *Revolução*, o título é
Os Descobridores do Occidente.

Fernão de Magalhães
Nos mesmos lugares, o título é *Dança dos Titans*.

Ascensão de Vasco da Gama
O sétimo verso não termina por um ponto final na 1.ª edição, e a edição
crítica também não o põe. Trata-se de uma gralha, que David Mourão-
-Ferreira corrige na edição Ática.

Prece
Poema publicado em 1922 e 1933 na série «Mar Português», e também
em publicação separada em 1929 no *Notícias Ilustrado* de 20 de Janeiro.

O ENCOBERTO

A epígrafe «pax in excelsis» significa «paz nas alturas».

III — *Os Tempos*

Noite
Na 1.ª edição e na edição crítica a 4.ª estrofe termina por uma vírgula,
mas essa gralha vem corrigida na edição de David Mourão-Ferreira.

NÓS, PORTUGAL

1.

No primeiro volume de fragmentos em prosa crítica de Pessoa, *Páginas Íntimas e de Auto-Interpretação*, publicado em 1966, no capítulo central «Para a Explicação da Heteronímia», uma simples frase solta existe que define um traço fundamental dessa explicação: «Desejo ser um criador de mitos, que é o mistério mais alto que pode obrar alguém da humanidade».

Assim, propõe-se o entendimento de toda a heteronímia como criação de autores-mito, ficções com a intensidade de presença de um Álvaro de Campos ou um Bernardo Soares, seres de papel maiores que a vida. Mas o desejo de ser «criador de mitos» vai cumprir-se em *Mensagem* de um modo imediato. Repare-se como o desejo de unidade aparece no poema final, *Nevoeiro*, mas também na sua arquitectura pensada e harmónica, que torna este livro uma constelação de poemas. Mesmo vogando em pleno oxímoro logo num dos poemas de abertura, o mito é um «nada», mas esse nada-sonho, essa imagem tem uma função histórica e nacional «que é tudo».

Pessoa define tal função na sua resposta ao inquérito *Portugal Vasto Império* (1934): «Há só uma espécie de propaganda com que se pode levantar a moral de uma nação — a construção ou renovação e a difusão consequente e multímoda de um grande mito nacional». E logo a seguir: «Temos, felizmente, o mito sebastianista, com raízes profundas no passado e na alma portuguesa».

A equação de que *Mensagem* resulta creio estar aqui exposta.

2.

Na sequência da leitura, alguns poemas em «eu» que vão surgindo não podem ser associados a um sujeito épico ou lírico exterior ao canto: são sempre poemas dramáticos no sentido literal, poemas postos na boca de «personagens» da «acção» mítica que esta epopeia mínima conta. É o caso, sobretudo, dos cinco poemas de *As Quinas*. Mas o sujeito mais frequente é a primeira pessoa do plural, a «raça», o «Nós, Portugal» que se lê em *Tormenta*. A caracterização deste tipo de sujeito pode ser definida pelo final do primeiro «Aviso», *Bandarra*: «Este, cujo coração foi / Não português mas Portugal».

Ou seja, aquele que durante duas décadas e meia é o título previsto de *Mensagem, Portugal*, não deveria designar o objecto do poema, nem o seu herói colectivo como em

Os Lusíadas, mas o seu sujeito. E a modificação (à última hora) do título vem antes no sentido de iluminar o seu objecto, que é a fala de Portugal, evocando a grandeza renascentista e invocando o Encoberto.

Já que é inevitável a referência a Camões, a comparação mostra uma forte alteração de paradigma, pois do canto dos feitos dos lusíadas quinhentistas se passa a este estranho canto de um canto, a esta encenação de uma fala (e de uma prece) de Portugal. Leia-se Eduardo Lourenço: «toda a pulsão positiva inerente ao Desejo é transferida por Pessoa para o plano da *criação poética*, único lugar da heroicidade moderna, fáustica ou mallarmiana, *a luta do espírito consigo mesmo*» («Pessoa e Camões», in *Poesia e Metafísica*, Lisboa, Sá da Costa, 1983: 260). Daí que o semantismo do termo «mensagem» seja coerente de forma tão perfeita com o sinal profético, o código heráldico, ou até aquele «rumor de pinhais» que o rei-poeta ouve quando «na noite escreve». Daí que se possa ler em D. Sebastião a palavra mágica. D. Sebastião, que tem a mesma natureza dos sonhos, estabelece a união entre o passado e o futuro, o individual e o colectivo, as palavras e as coisas. É um símbolo, o Símbolo.

Ao longo dos fragmentos editados por Joel Serrão no capítulo «Quando Regressa D. Sebastião?» do volume *Sobre Portugal* (Lisboa, Ática, 1979), um dos temas mais impressionantes é o da identificação que Pessoa procura, por variados procedimentos de datação, entre o regresso de D. Sebastião tal como profetizado nas trovas de Bandarra e o ano do seu próprio nascimento. Em suma, a identificação entre D. Sebastião e Pessoa. Ora, este jogo de datas e de espelhos tem na *Mensagem* — livro, aliás, estruturado segundo esquemas numerológicos — uma transformação. No momento em que o nome do autor parece retinir, pela sua própria ausência, no espaço em branco que encima o terceiro poema de *Os Avisos*, tomando lugar na descendência dos sebastianistas maiores Bandarra e Vieira, o que a sua voz assume é um desejo, o de se tornar «mais que um sopro incerto». Não é, pois, D. Sebastião regressado, mas é o sinal, o aviso, a mensagem desse regresso, e o seu regresso em poema. E essa invocação é dirigida também para a inteireza do Eu, desfeita pela explosão heteronímica.

Assim, no final, depois do último poema, a frase de despedida «*Valete, Fratres*» já pode não estar na primeira pessoa do plural, como a epígrafe «benedictus dominus Deus noster qui dedit nobis signum», mas numa implícita primeira pessoa, um Eu definido. A injunção «É a Hora!» funciona como um milagre que resolve o incerto, o disperso e o vago da dimensão subjectiva, ao mesmo tempo que firma o regresso do Desejado, seu «Sonho» e seu «Senhor».

3.

O autor de *Mensagem* tem um fervor patriótico que é o de muitos modernistas, e que Pessoa em si próprio encontra desde muito cedo. No contexto do trabalho que dispersamente realizou, esse fervor adquire em 1934, na forma definitiva de livro, um novo sentido. É uma unificação com Portugal, com a alma da raça, com a nação portuguesa, que existe sob um brasão familiar, tem uma genealogia e respira o ar dos mitos. Mas tudo se passa no universo criado por um livro, é só uma variante da experiência levada a cabo por Pessoa com a multiplicação em autores heterónimos.

Transcrevo parte de um inédito de Pessoa (dactilografado e sem data, E3, 100-33): «Um dos grandes males de que enfermam os nossos escóis literários é a introdução na literatura de fenómenos alheios a ela, como, por exemplo, a política. Na política, como na religião, como em qualquer actividade superior que não seja rigorosamente a científica ou a literária, a inteligência está subordinada a outra coisa, ao critério político, ou religioso, ou o que quer que seja, de que se trate. Na literatura e na ciência, propriamente tais, a inteligência está entregue à sua própria actividade, nem deve subordinar-se a coisa alguma».

Esta posição parece, de facto, contradizer ponto por ponto a que ocupa a *Mensagem*. Que Pessoa apresenta aos contemporâneos como «nacionalista». Só que o texto que acima citei não é do mesmo autor que *Mensagem*, só o nome do autor é que é o mesmo. Também o autor de *O Marinheiro* é um outro, ainda que com o mesmo nome, desta vez dramaturgo e simbolista, leitor de Maeterlinck. O sonho é tema central dos dois, mas resolvido nos dois ao contrário um do outro: o dramaturgo simbolista propõe ir habitar o sonho, viver uma vida inventada, enquanto o poeta sebastianista espera o advento do sonho e o reinventar da vida. Além do que, embora aparentados na linhagem simbolista, divergem pela poética e pelo tom.

Neste sentido, a heteronímia não é só o nome de um sistema de poetas, de um «drama em gente» ou de uma «ficção do interlúdio», é também um processo literário. O «ser outro» quando Pessoa escreve é nele um acto criador. Um mecanismo imparável. A cada texto (ou, no caso de Pessoa: a cada linha de fragmentação textual) corresponde um efeito de autor. Ora, alguns desses autores têm nomes próprios, outros não, confundem-se no mesmo nome.

A *Mensagem* — que (com *O Guardador de Rebanhos*) constitui excepção por ser um momento raro de «desfragmentação» — o que se liga decerto à sua outra singularidade, a de único livro em português por Pessoa publicado — produz um particular efeito de autor, um Eu que é função dos seus textos. Eis o que quer dizer a bem conhecida passagem da carta a Adolfo Casais Monteiro sobre a génese dos heterónimos: «Sou, de facto, um nacionalista místico, um sebastianista racional. Mas sou, àparte isso, e até em contradição com isso, muitas outras coisas».

Assim, percebemos a frase de Pessoa que Augusto da Costa (o promotor do inquérito de 1934) não percebe em *Portugal Vasto Império*: «Para o destino que presumo será o de Portugal, as colónias não são precisas». Há aqui um evidente distanciamento da ideia de império cultivada pelo Estado Novo — que, não é menos verdade, Pessoa ajuda a lançar com a sua militância no Núcleo de Acção Nacional, e de cujo Secretariado de Propaganda Nacional aceita um prémio pecuniário — ainda por cima da «categoria b», ficando o prémio da «categoria a» para Vasco Reis e sua *Romaria*.

Uma coisa que os seus amigos da *Presença* também não podem perceber. Pessoa desculpa-se mesmo perante Adolfo Casais Monteiro (na carta citada) de ter publicado *Mensagem* como seu livro de estreia.

Depois, em 1935, publica um artigo, no *Diário de Lisboa* e em separata, em que defende a mesma Maçonaria que o Poder quer proibir, e acaba por proibir. É um gesto público que colide com a publicação premiada do livro nacionalista — embora Pessoa tenha deixado um artigo não-

-publicado em que tenta expor as relações esotéricas profundas entre eles (*Páginas Íntimas e de Auto-Interpretação*, Lisboa, Ática, 1966: 433).

Mas, ainda mais visível, o combate entre posições internas ao desenvolvimento do discurso de Pessoa sobre Portugal é ilustrado por uma *Elegia na Sombra* de 1935 (*Novas Poesia Inéditas*, Lisboa, Ática, 1973), que é como o reverso temático e tonal da *Mensagem*: «O Desejado / Talvez não seja mais que um sonho louco»; e «nada vale a pena».

Estes efeitos de distanciamento têm todos a ver com a inexistência em Pessoa de qualquer imagem estável do Eu, a cada página mudando de atitude, de ideologia, de poética, de biografia. Há nele um teor de ideias que existe apenas num diálogo entre pólos. Numa rede, não em linha recta.

ÍNDICE

IV. — A COROA

V. — O TIMBRE

SEGUNDA PARTE

MAR PORTUGUÊS

TERCEIRA PARTE
O ENCOBERTO

I. — OS SÍMBOLOS

II. — OS AVISOS

III. — OS TEMPOS

NOTAS